CW01095951

Margret Rettich Jan und Julia in der Schule

Verlag Friedrich Oetinger · Hamburg

In ein paar Wochen kommt Jan in die Schule.
Mama kauft für ihn neue Jeans, Hefte, Filzstifte,
Wachskreide und einen Schulranzen.
„Und was ist mit mir?", fragt Julia.
Mama sagt: „Du kommst erst in zwei Jahren
in die Schule."

Mama übt mit Jan den Schulweg. Julia übt mit.
Sie gehen bis zum Supermarkt. Dann warten sie an der
Ampel auf Grün. Sie gehen auf dem Zebrastreifen über
die Straße. Dort ist die Schule.
Nun muss Jan den Weg allein gehen. Mama und Julia
gehen hinterher. Sie passen auf, dass Jan alles richtig
macht.

Am andern Tag hat Mama viel zu tun. Sie schickt Jan und Julia zum Einkaufen in den Supermarkt. Da üben sie wieder den Schulweg.

Julia sagt: „Komm, wir gehen in die Schule rein. Das musst du nämlich auch üben."

In der Schule ist grade Pause. Die Schulkinder rennen auf dem Pausenhof herum. Sie spielen Fangen. Jan spielt mit.
Ein Mädchen fragt Julia: „Möchtest du mein Brot haben?"
Auf dem Brot ist Schokoladenmus und Banane. Das schmeckt Julia gut.
Es klingelt. Die Pause ist zu Ende. Alle Kinder laufen ins Schulhaus hinein.

Jan und Julia bleiben ganz allein auf dem Hof.
Der Hausmeister kommt und ruft: „Los, beeilt euch!"
Da laufen Jan und Julia auch in die Schule hinein.

Auf Zehenspitzen schleichen sie den Gang entlang.
Sie lauschen. Hinter einer Klassentür sagt ein Kind ein
Gedicht auf. Hinter der nächsten Tür wird gerechnet.
Jan und Julia kommen an eine Tür, hinter der es ganz
still ist. Jan macht vorsichtig die Tür auf.

Die Kinder in dieser Klasse schreiben
einen Aufsatz. Der Lehrer geht
zwischen den Tischen auf und ab.
Er sieht Jan und fragt:
„Hast du dich verlaufen?" Jan nickt.
Er macht die Tür schnell wieder zu.

Jan und Julia gehen die Treppe rauf.
Oben steht eine Tür weit offen.
Der Klassenraum ist leer.
Julia setzt sich hin.
Jan geht nach vorn und sagt:
„Ich bin jetzt der Lehrer. Sag mal,
wie viel sind zwei Bäume und
drei Bäume?"
„Ein Wald", sagt Julia.

Dann hat Julia genug gelernt.
Jan und Julia gehen weiter den Gang entlang. Hinten
ist die Turnhalle. Eine Gruppe Kinder spielt mit einem
großen Ball. Julia spielt mit.
Andere Kinder springen über den Bock. Das möchte
Jan auch.

Jan nimmt einen Anlauf und springt. Dann läuft er zurück und springt gleich noch einmal. Ein Junge ruft: „Du gehörst ja gar nicht in unsere Klasse!" Die Turnlehrerin fängt Jan auf. Sie sagt: „Geh schnell in deine Klasse zurück."

In der nächsten Klasse singen die Kinder. Die Lehrerin spielt dazu auf der Gitarre. Niemand merkt, dass Jan und Julia kommen und mitsingen. Julia singt am lautesten.
Die Lehrerin fragt erstaunt: „Wer seid ihr denn? Ich kenne euch nicht, habt ihr gefehlt?"
„Wir fehlen nicht, wir sind doch da", sagt Julia.

Jan sagt: „Wir sind Jan und Julia. Wir sehen uns alles an, weil ich bald in die Schule komme."
Die Lehrerin lacht. Sie sagt zu einem Jungen:
„Dann zeig Jan und Julia alles."
Der Junge heißt Stefan. Er zeigt ihnen
die Kleiderhaken und den Papierkorb und
die Waschbecken und das Klo.

Zuletzt zeigt Stefan ihnen den Schulgarten. Er sagt
stolz: „Den pflegen wir Kinder ganz allein."
„Esst ihr auch die Radieschen allein?", fragt Jan.
Und Julia findet einen Maikäfer.
Es klingelt. Stefan rennt zu den anderen Kindern
auf den Pausenhof.
Jan und Julia gehen nach Hause.

Mama hat schon gewartet. Sie fragt:
„War es voll im Supermarkt?"
Jan und Julia rufen: „Wir waren nicht im
Supermarkt, wir waren in der Schule!"
Dann singen sie Mama das Lied vor,
das sie dort gelernt haben.
Nach einer Weile kann Mama es auch
und singt mit.

Satz: Lichtsatz Wandsbek, Hamburg
Druck und Bindung: Proost N.V., Turnhout
Printed in Belgium 1998*
ISBN 3-7891-5712-0